Avant-propos

Ce portfolio est un document recommandé par le Conseil de l'Europe. Il vous sert de passeport pour la maîtrise du français. Vous pouvez le présenter :
- quand vous vous inscrivez dans une école de langues, une université ou une école spécialisée (école de commerce, etc.) ;
- quand vous recherchez un emploi qui nécessite la connaissance d'une langue étrangère ;
- dans toute autre circonstance où vous devez montrer votre niveau de maîtrise du français.

Le portfolio de *ÉCHO A2* complète et enrichit celui de *ÉCHO A1*.
Vous y trouverez :

1. Un test personnel

Ce test vous permettra d'apprécier vos motivations pour le français et les compétences que vous avez déjà acquises dans cette langue. Il sera utile aux étudiants qui ont commencé le français avec une autre méthode ou qui reprennent leur apprentissage après une interruption assez longue.

2. La suite de votre biographie langagière commencée avec *ÉCHO A1*

Vous y noterez vos rencontres personnelles avec des francophones, des titres de films, de journaux, de chansons, etc.

3. Une partie « Compétences »

Pour chacune des trois unités de *ÉCHO A2*, vous trouverez :
• une liste des savoir-faire travaillés dans l'unité. Pour chaque savoir-faire, vous noterez votre niveau de compétence :
 + si la compétence est acquise
 0 si la compétence est en cours d'acquisition
 – si vous n'avez aucune compétence dans ce savoir-faire
• une grille de report des résultats que vous avez obtenus aux activités d'auto-évaluation du livre de l'élève (partie « Évaluez-vous » à la fin de chaque unité) et aux tests du fichier d'évaluation.
À la fin de chaque unité de *ÉCHO A2*, vous pourrez aussi faire le point sur votre apprentissage.
Il est normal que toutes les compétences répertoriées à la fin de chaque unité ne soient pas parfaitement acquises par tous les étudiants. La rapidité d'apprentissage dépend en effet de beaucoup de facteurs (votre origine, vos connaissances antérieures, etc.). À la fin de l'unité 2, il faudra donc refaire le point sur la liste des compétences de l'unité 1 et ainsi de suite à la fin de chaque unité.

4. Une partie «Êtes-vous au niveau A2 du Cadre européen ? »

ÉCHO A2 permet d'atteindre le niveau A2 du Cadre européen à la fin de la deuxième unité. Vous trouverez à la fin de ce livret un ensemble de tests oraux et écrits qui vous permettront de vérifier si vous avez bien ce niveau*.

5. Le passeport

Il reprend les compétences recommandées par le Cadre européen pour le niveau A2.

* Les documents sonores de ces tests se trouvent à la fin du CD collectif et dans le DVD-ROM. Les transcriptions et les corrigés sont à la fin du livre du professeur.

POURQUOI J'APPRENDS LE FRANÇAIS ?

J'apprends le français pour... (cocher les cases)	**Pour cela j'aurai besoin de :** parler	écouter	lire	écrire
• **Le travail**				
❑ Pour des raisons professionnelles, dans mon pays, je dois rencontrer des francophones.	❑	❑	❑	❑
❑ Pour mon travail, je dois lire des courriers en français et y répondre.	❑	❑	❑	❑
❑ Je dois lire de la documentation, des rapports, etc., en français.	❑	❑	❑	❑
❑ Je vais dans des pays francophones pour des réunions de travail.	❑	❑	❑	❑
❑ Je vais dans des pays francophones pour des séjours professionnels.	❑	❑	❑	❑
❑ J'ai trouvé du travail dans un pays francophone.	❑	❑	❑	❑
• **Les études**				
❑ Je suis étudiant(e). J'étudie le français mais ce n'est pas mon sujet principal.	❑	❑	❑	❑
❑ Je suis étudiant(e) en français. Le français sera très important pour mon projet professionnel.	❑	❑	❑	❑
❑ Je veux trouver du travail dans un pays francophone.	❑	❑	❑	❑
• **Les loisirs**				
❑ J'ai des amis francophones et je veux pouvoir communiquer avec eux en français.	❑	❑	❑	❑
❑ Je veux parler français quand je voyage dans un pays francophone (à l'hôtel, au restaurant, au chauffeur de taxi, etc.).	❑	❑	❑	❑
❑ Dans les pays francophones ou dans mon pays, je veux rencontrer des francophones.	❑	❑	❑	❑
❑ J'ai envie d'aller sur des sites Internet francophones.	❑	❑	❑	❑
❑ J'ai envie de dialoguer sur Internet avec des francophones.	❑	❑	❑	❑
Je veux comprendre :				
❑ les journaux francophones				
❑ les films				
❑ les chansons				
❑ les livres (roman, biographie, etc.)				
❑ les radios				
TOTAL				

Indiquez votre priorité :
Je veux surtout : ❑ parler ❑ comprendre les autres ❑ lire ❑ écrire

MON NIVEAU À L'ORAL

Écoutez. Bastien et Juliette sont assis côte à côte dans le TGV. Ils engagent la conversation. Notez les informations sur Bastien. Dites ensuite si vous êtes capable de donner ces informations sur vous.

Ce que dit Bastien	**Je peux donner ce type d'informations sur moi**
• **Le lieu où habite Bastien**	❑ oui ❑ non
La ville – ou le village (nom, importance) :	
La région (nom, intérêt) :	
Le temps qu'il fait :	
• **Le logement**	❑ oui ❑ non
Type (maison, appartement) :	
Intérêt :	
• **La profession de Bastien**	❑ oui ❑ non
Nom de la profession :	
Avantages :	
Inconvénients :	
• **Les loisirs de Bastien**	❑ oui ❑ non
À la maison :	
Le soir ou le week-end :	
En vacances :	
• **La famille de Bastien**	❑ oui ❑ non
Informations sur sa famille :	
• **Ses voyages**	❑ oui ❑ non

MON NIVEAU EN COMPRÉHENSION DES TEXTES

Chère Marion,
Excuse-moi de ne pas avoir répondu à tes derniers messages. J'étais très occupée par mon déménagement. Anthony et moi, nous travaillons maintenant à Douai. Anthony a été nommé directeur du personnel à l'hôpital. Il est très content. Et moi, j'ai trouvé un poste d'enseignante dans une école maternelle. J'adore ! Nous habitons à quelques kilomètres de Douai. Le centre de la ville est très joli mais nous avons préféré la campagne à cause des enfants.
Je t'envoie une photo de la maison. Devant, il y a le petit jardin et derrière, le garage. Quand tu entres au rez-de-chaussée, tu as à gauche un grand salon-salle à manger et une cuisine. À droite, un grand bureau qu'on peut utiliser comme chambre d'ami (tu es la bienvenue quand tu veux). Au fond du couloir, il y a les toilettes et une douche. Les chambres sont au premier étage. La nôtre est plein sud et chaque enfant a sa chambre. Nous avons aussi une grande salle de bains.
Il y a une semaine que nous avons emménagé. Nous ne connaissons pas beaucoup de monde mais les collègues et les voisins ont l'air sympas. Nous allons nous inscrire à un club de randonnée. Nous aurons bientôt des amis.
Je t'en dirai plus la prochaine fois.
Bises de nous quatre.
Jennifer

Choisissez l'option correcte.

- **Jennifer n'a pas écrit à Marion depuis**
  ❑ longtemps ❑ quelques semaines
- **Jennifer est**
  ❑ célibataire ❑ a une famille
- **Anthony et Jennifer**
  ❑ ont déménagé parce qu'ils voulaient une maison plus grande
  ❑ ont changé de domicile à cause de leur travail
- **Ils sont**
  ❑ satisfaits ❑ peu satisfaits
- **Ils se sont installés à Douai**
  ❑ depuis quelques jours
  ❑ depuis longtemps
- **Jennifer et Anthony**
  ❑ aiment les contacts
  ❑ ne sont pas sociables
- **Ils habitent**
  ❑ dans la ville de Douai
  ❑ à la périphérie

Complétez le plan de la maison de Jennifer selon les indications données dans la lettre.

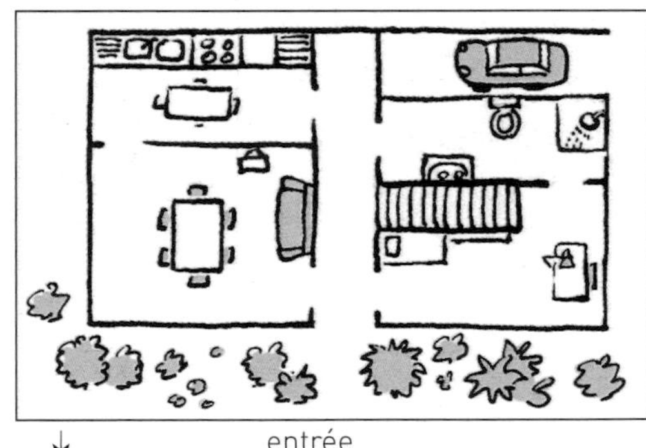

Rez-de-chaussée

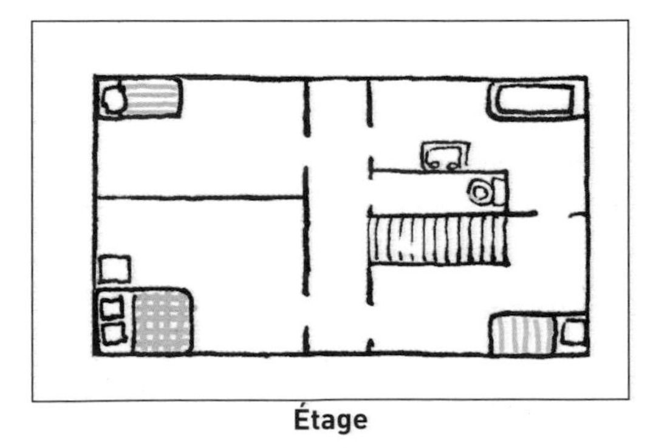

Étage

MON NIVEAU EN ÉCRITURE

- **Vous avez fait un voyage en Camargue (région du sud de la France). Le mardi, avant de rentrer, vous envoyez une carte postale à des amis. Inspirez-vous des documents ci-dessous pour rédiger votre carte.**

Hôtel des Salicornes
Au milieu des paysages sauvages de la Camargue.

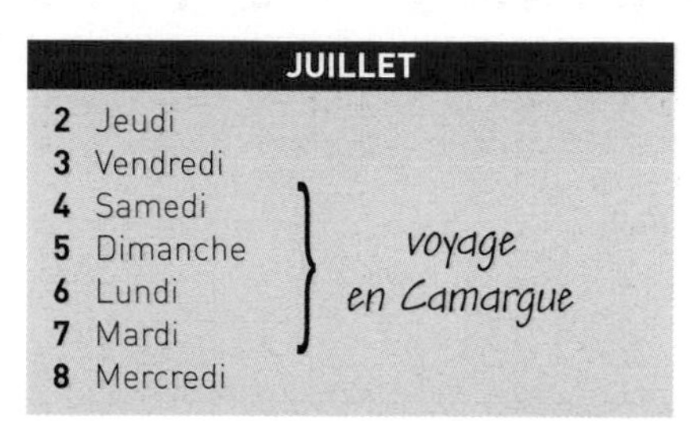

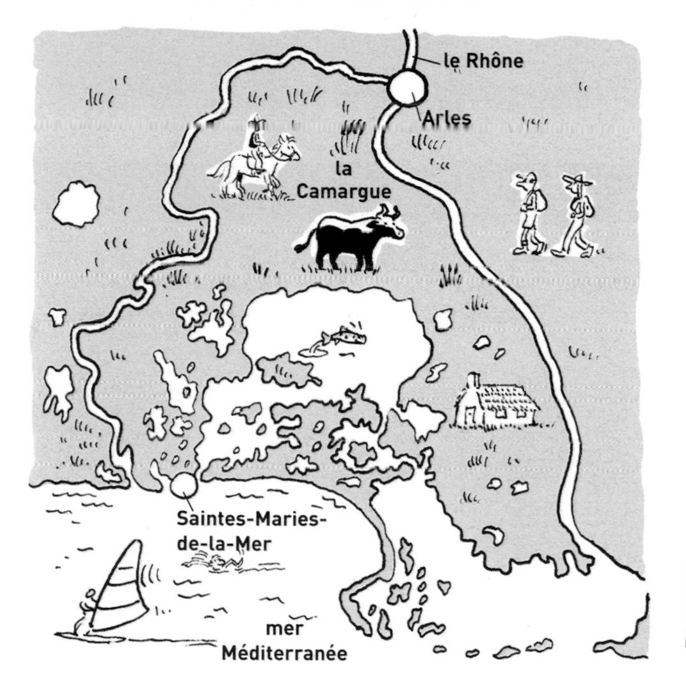

THÉÂTRE ANTIQUE

Samedi 3 juillet
Danse contemporaine
Philippe Decouflé

VISITEZ ARLES

Porte de la Camargue

Les arènes***. Elles datent du Ier siècle avant J.-C. On y donne des spectacles et des courses de taureaux.

Le théâtre antique**. Même époque que les arènes.

L'église Sainte-Trophime* du XIIe siècle. Magnifique façade. Un des plus beaux cloîtres de Provence.

Le musée Arlaten. Musée de la vie traditionnelle en Provence.

MES LANGUES

- **Ma langue maternelle** ....
  (mes langues maternelles)

- **Mes autres langues**

Indiquez vos compétences TB (très bien) – B (bien) – AB (assez bien) Q (quelques mots)	**parlée**	**comprise à l'oral**	**lue**	**écrite**
....	....	....	....	....
....	....	....	....	....
....	....	....	....	....
....	....	....	....	....
....	....	....	....	....

MON APPRENTISSAGE DU FRANÇAIS

Lieu Indiquez le pays, la région, l'école, le lieu de stage, le professeur particulier ou la personne avec qui vous avez appris	**Durée**	**Type d'apprentissage** Indiquez le nom du livre si vous vous en souvenez
....	....	....
....	....	....
....	....	....
....	....	....
....	....	....
....	....	....
....	....	....
....	....	....

MES RENCONTRES, MES EXPÉRIENCES EN FRANÇAIS

- **Pour chaque rubrique, notez dans la colonne de gauche ce que vous avez fait, lu, écouté et qui vous a particulièrement marqué.**
  Complétez la colonne de droite tout au long de votre apprentissage avec *ÉCHO A2*.

1. Mes voyages dans les pays francophones

2. Les chaînes télé ou les émissions que je regarde

3. Les radios francophones que j'écoute

4. Les journaux et les magazines que je lis

5. Les films francophones en VO (version originale) que j'ai vus

6. Les chansons francophones que je comprends ou que je connais

7. Les BD ou les livres que j'ai lus

8. J'ai aussi écouté et lu du français dans les circonstances suivantes (rencontres, conférences, etc.)

BILAN UNITÉ 1

• Notes obtenues aux évaluations

Auto-évaluation

compréhension de l'oral	... / 20
expression orale	... / 20
compréhension de l'écrit	... / 20
expression écrite	... / 20
correction du français	... / 20
Total	**... / 100**

Fiches d'évaluation

Total des évaluations de l'unité 1					Total
écouter					
lire					
écrire					
situations orales					
langue					
TOTAL					

• Faites le point

- jamais
0 quelquefois (la compétence est en cours d'acquisition)
+ presque toujours (la compétence est acquise)

Connaissances culturelles

J'ai des informations sur les réalités françaises suivantes (elles me permettent de mieux comprendre la presse ou les conversations) :	**-**	**0**	**+**
– l'enseignement			
– le travail et l'entreprise			
– l'administration et la politique			
– les médias			

Écouter

Je comprends	**-**	**0**	**+**
– le sujet d'une conversation sur l'éducation, la politique, le travail, les loisirs			
– quand quelqu'un parle d'un projet, de l'avenir en général ou quand il fait des suppositions			
– quelqu'un qui donne son opinion sur un sujet familier			
– le récit d'un événement familier			
– mon interlocuteur dans les situations suivantes : - le choix d'un objet ou d'une activité - une interdiction ou une demande d'autorisation - un jugement - un danger ou un risque			

Mes compétences

Parler

Je peux	**–**	**0**	**+**
– présenter oralement mon curriculum vitae			
– exposer en quelques lignes un projet personnel ou professionnel			
– raconter brièvement un fait courant			
– exprimer mes goûts et mes préférences sur un programme de télévision ou de radio			
– comparer des objets ou des activités			
– exprimer mon inquiétude ou rassurer quelqu'un			
– dire si quelqu'un a raison ou tort de faire quelque chose			
– porter un toast			

Lire

En m'aidant d'un dictionnaire bilingue, je peux comprendre les points principaux d'un bref article de presse portant sur	**–**	**0**	**+**
– la biographie de quelqu'un			
– la vie politique			
– l'entreprise			
– l'éducation			

Écrire

Je peux	**–**	**0**	**+**
– rédiger mon curriculum vitae			
– rédiger une lettre ou un message de motivation			
– dans une lettre familière raconter un événement qui m'est arrivé			
– rédiger un programme d'activités			

BILAN UNITÉ 2

• Notes obtenues aux évaluations

Auto-évaluation

compréhension de l'oral	... / 20
expression orale	... / 20
compréhension de l'écrit	... / 20
expression écrite	... / 20
correction du français	... / 20
Total	**... / 100**

Fiches d'évaluation

Total des évaluations de l'unité 2					Total
écouter					
lire					
écrire					
situations orales					
langue					
TOTAL					

• Faites le point

- jamais
0 quelquefois (la compétence est en cours d'acquisition)
+ presque toujours (la compétence est acquise)

Écouter et parler

Je comprends	**-**	**0**	**+**
– le professeur quand il me donne des instructions			
– la personne qui me donne des conseils à propos de mon apprentissage			
– les autres étudiants quand ils parlent de leur apprentissage, de leur lieu d'habitation, de leurs loisirs, de leurs études ou de leur vie professionnelle			

Je comprends quelqu'un	**-**	**0**	**+**
– qui raconte un souvenir			
– qui raconte une anecdote			
– qui donne une opinion à propos d'un événement			
– qui parle du futur et qui fait des suppositions			

Lorsqu'on aborde les sujets suivants, je comprends et je peux participer activement à la conversation	**-**	**0**	**+**
– les rencontres, les relations amicales			
– la personnalité et les habitudes de quelqu'un			
– les fêtes, les traditions, les animations			
– les repas et la cuisine			
– les particularités nationales ou régionales			

Quand j'assiste à des cours en français	**-**	**0**	**+**
– je réponds aux questions du professeur et des autres étudiants			
– je prends la parole pour donner une information ou une opinion			
– je sais exposer un problème relatif à mon apprentissage			
– je parle avec les autres étudiants avant et après le cours			

Je peux	-	0	+
– aborder un francophone pour lui demander un renseignement ou pour engager la conversation			
– proposer une activité à quelqu'un			
– accepter ou refuser des activités qu'on me propose de faire			
– exprimer mes goûts, mes préférences en donnant des arguments, des exemples			
– raconter un souvenir ou une anecdote simple			
– donner mon opinion sur une information			
– demander des explications ou s'expliquer en cas d'incompréhension ou de malentendu			

Lire

Je peux comprendre l'essentiel des informations quand je lis un des textes suivants et que ce texte est assez bref	-	0	+
– un fait divers dans la presse			
– le programme d'une fête ou d'une animation			
– le message ou la lettre de quelqu'un qui se présente à moi			
– une recette de cuisine			
– une opinion à propos d'un événement (réaction de type forum Internet)			
– le récit bref d'un événement			

Écrire

Je peux rédiger	-	0	+
– une lettre ou un message pour entrer en contact avec quelqu'un			
– les formules de politesse de lettres ou de messages familiers ou formels			
– des conseils à quelqu'un qui doit venir dans mon pays			
– une opinion à propos d'un événement			

Connaissances culturelles

Je connais	-	0	+
– les principales fêtes du calendrier français			
– les rythmes de l'année en France			
– les sujets de conversation courants et ceux qu'il vaut mieux éviter			
– certaines particularités de la vie quotidienne en France (invitation, repas, etc.)			

BILAN UNITÉ 3

• Notes obtenues aux évaluations

Auto-évaluation

compréhension de l'oral	... / 20
expression orale	... / 20
compréhension de l'écrit	... / 20
expression écrite	... / 20
correction du français	... / 20
Total	**... / 100**

Fiches d'évaluation

Total des évaluations de l'unité 3					Total
écouter					
lire					
écrire					
situations orales					
langue					
TOTAL					

• Faites le point

- **–** jamais
- **0** quelquefois (la compétence est en cours d'acquisition)
- **+** presque toujours (la compétence est acquise)

Écouter et parler

Je peux comprendre et me faire comprendre dans les situations suivantes	**–**	**0**	**+**
– les opérations bancaires : retrait d'argent à la banque et au distributeur, problème avec le distributeur, ouverture d'un compte, virement			
– les achats et les paiements. Je peux désigner ce que je veux ou en décrire les caractéristiques – dire comment je paie – demander une rectification de la facture ou de l'addition – demander une réduction.			
– la cohabitation. Je peux désigner ce qui m'appartient et ce qui appartient aux autres – accepter ou refuser les règles communes de la cohabitation – réagir et protester en cas de non-respect des règles par l'autre.			
– les accidents ou incidents. Je sais me comporter en cas d'accident de voiture, d'objet endommagé, d'incendie, etc. Je peux répondre à des questions sur l'accident en indiquant les circonstances. Je peux indiquer brièvement les dommages sur les objets et les dommages corporels. Je peux dire ma responsabilité – accuser quelqu'un d'être responsable – me défendre ou défendre quelqu'un.			
– les situations difficiles, inattendues ou à risque. Je peux exprimer divers sentiments et en particulier la peur et l'inquiétude. Je peux aussi rassurer et encourager quelqu'un.			
– les situations relatives aux relations familiales, amicales, amoureuses, professionnelles. Je peux exprimer ma confiance, ma méfiance, dire que je veux rompre ou prolonger la relation et argumenter.			

Je peux comprendre et participer à une conversation qui aborde les sujets suivants	–	0	+
– les activités sportives (celles que l'on regarde et celles que l'on pratique)			
– les professions, les qualités qu'il faut avoir pour les exercer, leurs avantages et leurs inconvénients			
– les objets (vêtements, objets décoratifs). Je peux les décrire brièvement et dire mes goûts et mes préférences.			
– la responsabilité d'une personne			
– une activité qui implique un succès ou un échec (examen, entreprise, etc.)			
– mes conditions de vie et celles des autres (travail, revenus, difficultés)			

Lire

Je peux lire en repérant les informations essentielles	–	0	+
– un bref récit d'aventures			
– un bref article de presse sur un sujet sportif			
– des informations sur les revenus et le pouvoir d'achat			
– des instructions figurant sur les distributeurs d'argent, billetteries de gare, de musée, de spectacles			
– des indications figurant sur un site d'achat sur Internet			
– un document d'informations sur les assurances que je dois souscrire si je vais en France			

Écrire

Je peux	–	0	+
– remplir un constat d'accident			
– faire une lettre de déclaration de sinistre			
– donner des informations par écrit			
– raconter en quelques lignes un événement (par exemple un événement sportif)			
– prendre des notes en écoutant un document sonore			

Connaissances culturelles

J'ai quelques informations sur	–	0	+
– le comportement moyen des Français en matière de partage des tâches ménagères			
– le système français d'assurances			
– le système de la Sécurité sociale			
– la composition socio-économique de la société française			
– les sports pratiqués en France			
– les comportements en matière d'argent			

Test 1

• Écoutez ces huit scènes. Écrivez le numéro de la scène :
– dans la case du lieu où se passe la scène ;
– dans la case de l'information principale donnée dans la scène.
Ajoutez l'information complémentaire.

Les lieux	L'information	Le complément d'information
❑ dans la rue	❑ une naissance	....
❑ à la poste	❑ un mariage	....
❑ chez Marie	❑ un décès	....
❑ au cinéma	❑ une maladie	....
❑ dans la salle d'attente d'un médecin	❑ un échec	....
❑ dans une boutique de vêtements	❑ une réussite	....
❑ dans une librairie	❑ un départ	....
❑ en voiture	❑ une arrivée	....

Test 2

• Julien est allé au parc d'attraction du Puy-du-Fou. Un ami lui pose des questions.
Complétez les informations.

LE PARC D'ATTRACTION DU PUY-DU-FOU

Situation : ....

Dates d'ouverture : ....

Types de manifestations
Le jour : ....
La nuit : ....

Autres centres d'intérêt
1 – ....
....
....

2 – ....
....
....

Prix : ....

Test 3

• **Marie-Sarah a un entretien d'embauche. Le DRH lui pose des questions. Complétez la fiche.**

Nom : GIROD **Prénom :** Marie-Sarah

Adresse : rue Émile-Zola – 89000 AUXERRE

Âge : ....

Situation de famille : ....

Téléphone : ....

Nationalité : ....

• **Études et formation**

2003 : ....

1999 : ....

1995 : ....

• **Expérience professionnelle**

1. Stages

Dates et durée	Lieux ou entreprises
....	....
....	....
....	....

2. CDI (contrats à durée indéterminée)

Dates et durée	Lieux ou entreprises
....	....
....	....
....	....

3. CDD (contrats à durée déterminée) ....

....

• **Langues et séjours à l'étranger**

1re langue étrangère

Niveau .... Séjours ....

....

2e langue étrangère

Niveau .... Séjours ....

....

3e langue étrangère

Niveau .... Séjours ....

....

LIRE

Test 4

1. Classez chaque petite annonce dans la bonne rubrique.

Bonnes affaires ....
Animaux ....
Services ....
Demandes d'emploi ....
Offres d'emploi ....
Vacances ....
Immobilier ....
Rencontres ....

2. Trouvez l'annonce qui peut intéresser les personnes suivantes :

a. Mon ordinateur est en panne. ....
b. Je suis antiquaire. ....
c. Je m'installe à Paris. Je dois meubler mon appartement. ....
d. L'été prochain, nous avons décidé d'aller passer quinze jours en famille au bord de l'Atlantique. ....
e. J'écris un livre sur l'histoire de ma ville. ....

1
PERDU
chien épagneul
Récompense.
06 10…

2
Groupe amateurs confirmés style
ROCK, HARD ROCK
donnant concert sur région
cherche chanteuse
06 26…

3
Canapé 3 places
+ 2 fauteuils cuir
état neuf
1 000 €
06 42…

4
Vous collectionnez **les cartes postales anciennes**
Échange cp tous pays et pays étr.
Faire proposition à jmlechatnois@……

5
À SAISIR
Très belle pendule franc-comtoise 18e en état de marche
1 500 €.
06 85…

6
Allô PC Services
dépannages, fournitures, à domicile
Devis gratuits jusqu'à 25 km, 35 €/h.
06 27…

7
VENDS
bureau chêne année 50
7 tiroirs, 1,50 x 0,90
300 €
06 10…

8
À LOUER
juillet/août appart.
6 pers.
BIARRITZ
bord de mer,
1 000 €/sem.
06 32…

9
34 ans, J.F., brune, charmante, secrétaire, sens de la famille et des vraies valeurs.
Vous : âge en rapport, prof. indifférente, charme et savoir-vivre, sérieux, honnête.
Agence Unilia
01 37…

Test 5

• **Lisez le texte suivant. Cochez les cases correspondant aux affirmations correctes.**

Des milliers de « dîneurs en blanc » au pied de l'Arc de Triomphe

Un « repas en blanc » a réuni jeudi soir des milliers de gens à Paris, dans un endroit tenu secret jusqu'à la dernière minute selon la règle du jeu, cette année au pied de l'Arc de Triomphe.

En moins d'un quart d'heure, les participants, tout de blanc vêtus, ont installé chaises, nappes et vaisselle sur de petites tables pliantes pour déguster un repas arrosé de vin ou de champagne sur les terre-pleins séparant les avenues qui partent de la place de l'Étoile.

Ils étaient 7 500 selon les organisateurs, 2 000 selon la police.

La moitié est arrivée par cars de la région parisienne, l'autre, des jeunes pour la plupart, en métro, mais tous avec le même objectif : être attablés à 21h40. De tous âges, ils portaient toutes les déclinaisons possibles de tenues blanches, du frac au costume de bédouin, de la robe d'été à la robe longue.

La police est arrivée 10 minutes plus tard mais s'est contentée d'observer la foule attablée qui sirotait du vin dans l'un des endroits les plus fréquentés de la capitale, par les touristes comme par les voitures.

Paris, AFP, 18/06/2007.

1. L'article parle d'un événement
❑ banal
❑ bizarre

2. Cet événement
❑ s'est déjà produit
❑ ne s'est jamais produit
❑ se produit toujours au même endroit

3. Cet événement est
❑ un dîner
❑ un pique-nique
❑ une réunion folklorique traditionnelle
❑ un jeu

4. Le lieu de l'événement
❑ est connu d'avance
❑ est connu est dernier moment

5. Cet événement est
❑ interdit
❑ autorisé
❑ toléré
❑ obligatoire

6. Les participants portent
❑ tous les mêmes vêtements
❑ toutes sortes de vêtements
❑ aucun vêtement de couleur

7. Les participants viennent
❑ de toute la France
❑ de Paris et de ses environs

8. On connaît exactement le nombre de participants
❑ oui ❑ non

9. Les participants sont
❑ seulement des jeunes
❑ des jeunes et des moins jeunes

10. Cet événement
❑ a posé des problèmes aux Parisiens
❑ n'a gêné personne

ÉCRIRE

Test 6

- **Vous recevez ce message d'un(e) ami(e) qui habite loin de chez vous. Vous répondez à son message.**

Nouveau message

Envoyer Discussion Joindre Adresses Polices Couleurs Enr. brouillon

À : Jennifer Rougier
Cc : 12 octobre 2007
Objet : Marion Blanc

Ça y est ! j'ai réussi à mon concours d'entrée au centre de formation des avocats.
Je vais pouvoir souffler un peu. Je pars pour un mois en Norvège avec Tristan.
Bises.
Julie.

Test 7

- **Vous lisez cet article sur le site Internet d'un journal. Vous donnez votre opinion.**

Selon le projet de réforme du ministre de l'éducation nationale, l'anglais serait la seule langue obligatoire enseignée pendant les quatre années de collège. L'horaire d'anglais passerait à 6 heures hebdomadaires.

Vos réactions :

Test 8

- **Vous avez un accident de voiture.**
  Voici le croquis de l'accident.
  Votre véhicule est le véhicule C.
  Rédigez les circonstances de l'accident.

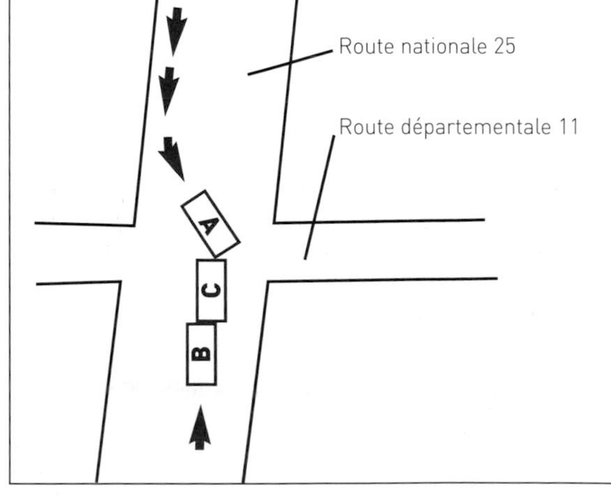

PARLER

Test 9

- Vous avez gagné un voyage organisé pour deux personnes (dans un pays de votre choix). Votre ami(e) ne p
  pas vous accompagner. Avec lui (elle), vous réfléchissez à la personne que vous pourriez inviter.
  Vous pensez à deux ou trois personnes. Mais chacune a ses qualités et ses défauts.
  Jouez la scène à deux.

Test 10

- Vous rencontrez un(e) ami(e) que vous n'avez pas vu(e) depuis cinq ans. Vous lui demandez de ses nouvell
  Vous évoquez des souvenirs.
  Jouez la scène à deux.

Test 11

- Imaginez et jouez à deux un dialogue dans les situations suivantes.

1. Il n'est pas très rassuré.

2. Il a perdu son appareil photo.

EXTRAIT DU PASSEPORT DE LANGUES GRILLE POUR L'AUTO-ÉVALUATION CONSEIL DE L'EUROPE

	A2
	COMPRENDRE
Écouter	Je peux comprendre des expressions et un vocabulaire très fréquent relatifs à ce qui me concerne de très près (par exemple moi-même, ma famille, les achats, l'environnement proche, le travail).Je peux saisir l'essentiel d'annonces et de messages simples et clairs.
Lire	Je peux lire des textes courts très simples. Je peux trouver une information particulière prévisible dans des documents courants comme les petites publicités, les prospectus, les menus et les horaires et je peux comprendre des lettres personnelles courtes et simples.
	PARLER
Prendre part à une conversation	Je peux communiquer lors de tâches simples et habituelles ne demandant qu'un échange d'informations simple et direct sur des sujets et des activités familiers. Je peux avoir des échanges très brefs même si, en règle générale, je ne comprends pas assez pour poursuivre une conversation.
S'exprimer oralement en continu	Je peux utiliser une série de phrases ou d'expressions pour décrire en termes simples ma famille et d'autres gens, mes conditions de vie, ma formation et mon activité professionnelle actuelle ou récente.
	ÉCRIRE
	Je peux écrire des notes et messages simples et courts Je peux écrire une lettre personnelle très simple, par exemple de remerciements.

Source : http://europass.cedefop.europa.eu

Direction éditoriale : Michèle Grandmangin
Édition : Christine Grall
Conception : Nada Abaïdia
Réalisation : Véronique Sommeilly / S Puissance 3
Illustrations : Jean-Pierre Foissy

ISBN : 978-2-09-038567-0